VOL. 15
OSAMU NISHI
악마에 입문했습니다! 이루마 군

& STORY 캐릭터 소개 & 줄거리

스즈키 이루마

지나치게 착해빠진 상냥한 소년. 부탁을 받으면 거절을 못 한다. 위기 회피 능력이 뛰어나다. 인간이라는 사실을 들키지 않고, 악마 학교를 평온하게 다니고 싶다.

아스모데우스 아리스

파괴와 미덕을 관장하는 가계의 악마. 입시 수석인 우등생. 입학식에서 이루마 때문에 체면을 구기고 발끈하지만, 결투로 완패한 후 이루마에게 충성을 맹세한다.

《특기 마술=화염계 주문》

발락 클라라

밝고 활기찬 여자 악마. 항상 야단법석에 조용할 때가 없어서, 주위로부터 괴짜 혹은 희귀 짐승 취급을 당한다. 이루마의 상냥함을 접하고 감동해서, 좋은 친구 중 한 명이 된다.

《가계 마술=한번 본 물건은 뭐든 주머니에서 꺼낼 수 있어!》

CHARACTERS

샤크스 리드

이루마와 한 팀이 된, 도박을 좋아하는 악마. 바치코의 무리한 짓에 두 손 두 발 다 들고, 지금은 로빈 선생님에게 가르침을 받고 있다.

바르바토스 바치코

귀여운 외모와 달리, 제멋대로에 입도 험한 여자 악마. 그러나 사실 설리번 이사장이 인정할 정도의 명궁사. 이루마에게 궁술을 가르쳐준다.

오로바스 코코

실기와 필기에서 항상 성적이 2등인 악마. 트라우마를 환각으로 보여주는 가계 능력을 지녔으며, 수확제에서는 그 마술로 어브노멀 클래스를 괴롭히고 있다.

지금까지의 이야기

인간 말종인 부모님에 의해 악마에게 팔려버린 스즈키 이루마는 마계의 악마인 설리번의 손자가 되어 악마 학교, 바비루스에 입학한다. 인간이란 사실을 숨기고 조마조마한 학교생활을 보내면서도, 악마 친구가 늘어난 이루마는 그런 생활을 점점 즐기게 된다. 그런 바비루스에서 가장 중요한 것은 수업을 통해 마계에서의 「랭크」를 올리는 것. 1학년 전원이 참가하는 서바이벌 시험 『수확제』에서 좋은 성적을 내서 랭크 승급을 노리는 이루마를 비롯한 어브노멀 클래스 일동. 유명한 악마들의 혹독한 특훈을 견뎌낸 그들은 각자의 실력을 발휘한다!! 이 모든 것은 랭크 「4(다레스)」로 승급해서 호화롭고 편안한 교실을 지키기 위해서다! 한편, 이루마&리드 팀의 상황은 일발 역전을 위해 「레전드 리프」 수확을 노린다. 그 열쇠인 「시작의 씨앗」과 「끝의 화분」 중 씨앗을 손에 넣은 이루마는 도중에 오로바스에게 습격을 당하고, 환각 마술에 괴로워하는데…. 그러나 바치코와의 수행의 성과로 그것을 타파한 후, 다시 전선에 복귀한다!!

CONTENTS

수확제 사흘째!!!
제125화 젊은 마왕
이제 마수를 사냥할 여력이 없는 학생뿐…
극한 상태의 서바이벌이 이어지면서

인 것만은… 아니다!!
추
욱…
멜론스 악어
1500P
후하하하! 이쪽은 다섯 마리다!!
이쪽은 여섯 마리라고!!
아앙?!
그쪽 두 마리는 작으니까 0.5마리다!
뭐어?!
어려운 소리 말라고!!
다음은 바위 밭에 가볼까요.

하지만 백타사과 같은 보스 클래스의 마수는 좀처럼 없구나!
우승을 위해서는 조금의 방심도 해선 안 돼…. 높은 포인트의 마수는 발견 즉시 수확하자.
이몸도 노크하고 싶구나
흠 흠
그만해!
사흘째를 버텨낸 학생들은…
나름의 효율적인 수확법을 발견했다.
예를 들자면 압도적인 공격 전술.
그리고 힘에 의존할 수 없는 자가 취하는 것은…
오오오오오오오오오

인해전술!!
오
오
오
오
오
보스 클래스, 첫 수확이다~!!
와아아아
이겼다--!!
해냈다, 해냈어!!
나이스 엄호!!
오-
좋아!!
보고통까지 옮기자~!
황송아지
3800P

뭐
다 같이 나누면 포인트는 얼마 안 되겠지만 말이야~.
그러니 더 많이 잡을 수밖에 없어.
네~ 성주님 ~♡
협력하는 자들.
후후후
성주 아냐!!
한편 우수한 쪽은….
왈왈왈
아앙
제2블록에서 팀A가 당했습니다!!
머엉
여왕님! 아름다워!!
샤아
쿵
쿵
팀B는 귀환!!
삐-
삐삐-
식재료 GET 해왔습니다!!
슥…

마수를 거느린 회유 전술.
샤라라랑
참 잘했어. 수고 많았네.
큐우우우웅
아우
우우우
음—
우승을 위해선…
슬슬 강력한 아군이 필요하겠는걸.
제2 블록…
그 외

같은 편이라고
했으면서!!
이 배신자~!!
하하—
포인트 독차지!!
속임수 전술.
나는 얼마 전에 따끔한 맛을 봤거든!!
더는 안 속아!!
내가 속여서 번 포인트를…
휘익

슈우우웅
아름다운 당신께!!
어머 멋져.
유혹 전술.
그럼 보고통으로 가자.
각자…
흐흥—
멍멍이랑 실컷 놀았어!!
good boy!!
펴ㅡ엉
철푸덕—

능력을 구사해
포인트를 버는 전반전.
그럼 이쯤에서
중간 발표를 하겠다.

아스모데우스 21800P. 사브노크 18600P.
이치로 16500P. 니로 16500P.
크로켈 19200P. 카임 12400P.
발락 9800P. 익스 13200P.

오로바스 15400P.
아가레스 9500P.
가프 9500P.
와우―
킴 7600P. 토켈 6800P….
…여기까지가
경계선이다.
긁적…

수확제가 왜 1학년의 최종 실기냐면
그만큼 중요한 시험이기 때문이다.
이 축제는 생존 연습.
이 숲은 마계의 축소도다.

기회도, 궁지도 평등하게 찾아오며…
흥분과 자극, 절망과 번뜩임으로 넘치고 있지.
이제부터 마계에서 살아갈 힘이 있는지를 시험하는 자리!!
그 안에서 『정점』에 선 자는
역대 우승자도 불린, 긍지 높은 칭호를 손에 넣는다.
그 칭호는 바로…

젊은 마왕후보,

약왕(若王)!!
DEVIL
SCHOOL

방금 언급된
포인트
상위자는
현재
약왕에
가까운
자들이다.
다들 서로를
의식하도록….
자극
하시는
데요~
그럼
이상으로….

…!
……
딸깍
현시점
에서
0포인트를
획득했으면서
살아남아,
행방불명인
멍청한 학생이
한 명 있다.
어디서
뭘 하고 있는지
모르겠다만,
탈락할 거면 해라….
허나
우승할 마음이
있다면…

빨리 기어 올라와라.
이 멍청아.
내가 할 말은 여기 까지다.
씨익~
어라~?!
카르에고 선생님~?
방금 그건 편에 아닌가요?
헉?
회수가 귀찮아서 충고를 해줬을 뿐입니다만?

흥흥~ 흥흥~
하지마세요!
흥흥~
후앗
그럼, 남은 학생의 포인트는 제가 발표할게요~.
……!
~~~…
리스트
가코 씨, 780P.
에이코 씨, 600P…
흠
오오오오!!
약왕이 뭐야?! 1등?!
응.
약왕이라! 그야말로 이 몸을 위한 칭호구나!
흠
그럼 내 거다!!
뭣?!
…….
~~~

행방불명…
걱정이네….
지켜드리겠습니다!!
…
이루마
님….
찌….

현시점에서 획득 포인트 0이면서
행방불명인 학생이 한 명—….
제126화 나만의 마술
으음…
행방불명이라….
혹시 이루마…
라면….
쏴아아아…

꾸욱
꾸욱
꾸욱
이익!
따라오지 마라!
내가 먼저! 이루마 님께 수행 성과를 보고할 거다!
흥
흥
노노!!
아니 거든요?! 내가 먼저 거든요—.
스페셜 그레이트호 친구인걸!
내가 1호다!!
뭐
분명 나를 더 칭찬해주시겠지.
과연 그럴까…?
내가 할 말이야!!

빨리 이루마 님 찌 에게…
칭찬받을 거야…!!
우랴앗
그래가지고 적을 맞히겠냐!!
집중해!!
기합을 넣어라!!
네!!

분하냐!!
네!
그럼 일어서!!
…돼어.
아즈 아즈는?
나도 할 일이 생겼다.
……. 안 만날 거냐…?
도 옥…

저벅…
더 많이 수행할 거야.
탈락 —….
행방불명 —….
그렇게 수행 했잖아.
그의 모습을 기억해.
괜찮아….

나는 믿고 기다릴 거야.
훅 훅 훅
애초에!
서로 힘내자고 격려했지!!
그 기대에 부응해서 칭찬을 받을 거다!!
…그래.

하지만 꽤 힘들어 보인다만?
덜 덜
부들 부들
흥! 이루마 님은 돌아오실 거다!! 지금 바로 뛰어가고 싶은 심정이지만,
겨… 견딜 수 있어!!
음.
무리마라
부들 부들
참자… 참아….
좋은 여자는! 남자를 쫓아다니지 않고! 남자에게 쫓겨야 해!
쫏 쫏
좋은 여자가 되어서 이루마찌에게 칭찬받기 위해서라면…
엄마
참을 수 있어!!

그치만 사실 엄청나게 만나고 싶으니까, 빨리 돌아와 이루마 님 찌 ——…!!
오오오오오오오
아즈와 클라라가…
하아…
보고 싶어….

하아
그 소리, 대체 몇 번째냐.
HEY
얏
그게… 마음의 버팀목 이랄까….
영차
유적을 나와서 출구 앞에서 떨어졌으니까….
지상
입구
출구
지하
현위치?
토토 유적
기어 올라가면 나갈 수 있을 거라고 생각하는데….
떨어졌지~
환각에 빠져 의식을 잃은 이루 도령을 이 몸이! 지켰고!!
하하-
끄억
시작의 씨앗도 주워뒀으니 다행이지만!

정말 악랄한 마술을 걸었다니깐….
환각이 안 풀렸으면 어떻게 됐을지….
이루도령…!?
저기…
일어나!!
거미와 싸우는 아리씨 그림
고마워, 아리 씨!
하지만… 덕분에 각오를 다졌고
꾸욱
내가 돌아갈 장소도 알게 됐어…!

그러니 빨리 돌아가야….
… 그래.
그런데 어떻게 돌아…
갈,
쑤욱
으아아 아아악!!
기에에 에에.

어,
나프라 씨?!
펄럭
펄럭
어
설마 내려와 준 거야?!
내가 걱정되어서…,
고마….
왜 안 날아?
헛.
날개를 다쳐서! 날 수가 없어…!
으~음
가—
끄으~응

실은 발도 다쳤어….
나프라 씨, 나는 괜찮으니까 먼저 위로….
기에~ 기에~
미안해….
뒤적 뒤적
쨔자—안
아!
쥐엄 쥐엄풀!!
가지고 있었어?!
쥐엄쥐엄풀
물을 한 방울이라도 뿌리면 줄기가 30m나 늘어나는 마계 식물
까딱 까딱

그리고
물뿌리개!!
짜~잔
왜,
물뿌리개를
가지고
있는
거야…?
에잇고
주운거야
하지만
이걸로…
철퍽
오오오오오오!!
쑤우우우욱!!

좋아! 이걸로 올라…
갈….
오오오오오
올라갈 수… 있을까?
꿀꺽…
올라가더라도 시간이 엄청나게 걸릴 거야.
수확제 종료 때까지 걸리면… 우승은 못 해.
발만 안 다쳤어도 더 빨리 올라갈 수 있을 텐데….
슥…
발을…
다쳐…?

또옥
슈우우우우
마계에서 인간은 이런 능력을 지니는 걸까?!
하지만 피 한 방울로 이렇게 되다니….
인간은 내 생각보다 훨씬 귀중한 존재일지도….
…핫.
좋은 생각이 났어!
여기는 마계이고…
나는 인간이지.
꾹
그러니….
꾹…
단숨에 올라가자.
내… 마술로!!

또옥..
?!!
두
두
둥
?!
이 흔들림은
뭐지?!
서둘러
조사해!!
두
두
두
두
두
으아
아아.
아아아.

난관을…

돌파하겠어어!!
어어어어어.
이게 뭐야아아아아아아아아.

왠지
익숙하구나!!
후하하하
그래….
이런 걸
할 수
있는 건…
오오오

콰오오
그분 뿐이야…!

하아.
하아.
어, 카메라…?
스즈키 이루마,
생환 했습니다!!
규──

얏
이거, 카메라 인가요?
으음.
제127화 리드의 고뇌
리~드~!!
『시작의 씨앗』을 손에 넣었어~~!!
아아
파
빨리 합류하자~!
어머~~~

실례하겠습니다.
덥석
이 자식!! 웬 소란이냐?!
버럭
억
우왓
좀 얌전히 나타날 순 없었던 거냐…?!
캭
카르에고 선생님?! 죄송합니다.
저도 이렇게 소동이 일어날 줄은….
앗. 이건 쥐엄쥐엄풀인데….
그딴 건 됐다!!
부상 유무! 수확물 보고는?!
기권할 것이냐?!
어, 아, 아뇨…!!

우승할 거예요!
어머~
단언 하네요~.
와~~우
무슨 일 있었나…?
…그럼…

빨리 수확하러 가라!!
이 0포인트 꼴찌야!!
와아~~
버럭
맞아. 0포인트 였지.
빨리 합류해야….
좋아!
어질
어질
가자.
리드와
합류하러!!

리~도~
어디야~
샤르시리~도~
왜!!
왜 내가
이렇게
된 거지?!!
이루마,
이 바보
멍청이——!!
우아아아아앙
몇 시간 전,
나는——….

마신
과…
대치
했다.
자아,
승부다….
닥쳐오는
100가지 난관(게임)——.
죽음을
두려워하라,
악마의
아이여….
시험받는
배짱.
찾아오는
해우.
눈을…
뜨세요
…….

고마워요.
한평생을 걸고
일확천금을 추구한다.
미안하지만 나는… 갬블러야!!
나는 과거의
자신과 결별하며…
빛을 움켜잡았다!!
간다아아
아아아아앗!

——…그렇게 고생하고 고생한 끝에 손에 넣은!!
저벅
부부 바위 앞
이것이 바로!! 『끝의 화분』!!
짜~잔
오늘 나는 그야말로 주인공이었어!!
그렇답니다.
그리고 필요한 건 『시작의 씨앗』 이었지?
나는 이렇게 손에 넣었지만, 이루마는 고생하고 있을지도 몰라~.
하지만… 만약 이 핵심 아이템 두 개를 얻은 우리가 합류해서 『레전드 리프』를 싹 틔운다면~?

우승.
약왕 리드….
응. 괜찮네~.
헤헤헤헤헤
팬클럽 결성… 인가.
쏴아아아
휴우…
헉
이럴 때가 아냐!!
사인을 생각해 둬야지…!!
으─음
리드.
리….
샤크스 스타….
끄적
끄적

중간 발표~!!
깜짝
안~~녕
고 포인트 획득 학생이 발표됐습니다!
남은 학생들을 발표~하기 전에!
포인트에 관한 주의 사항~!!
현재 발표한 포인트는 여러분이 식새료를 보고통에 제출해서 포인트로 환산한 몫입니다.
계속 가지고 있다간 다른 친구한테 빼앗길지도요….
표적으로 딱…
아직 가지고 있는 포인트는 포함되어 있지 않죠!
그러니 다들 빨리 보고통에 가~!! 그건 그렇고…

어브노멀 클래스의 샤크스 리드 군~!!
어?!
헉, 어?!
나?!
네가 들고 있는 그 화분!!
그건 식재료가 아니지만… 제출하면 2만 포인트 획득이야!! 알고 있으려나~?
뭐?!
어?!
보고 안 하면 리스크가 클걸~?
다들 조심해—.
하하하하
헤에~
이 화분, 2만 포인트나 되는구나~~.
몰랐어~~.
큰일 났네. 큰일 났어.
P.Yo!!

왜 말한 건데?
왜 그 화분의
포인트가 높냐면…
바로
「레전드 리프」의
~~?!
어이쿠!
잠깐만,
그건
비밀이잖아!!
왜 말한 건데?!

잠깐,
내가 2만 포인트나 가지고 있는 게 알려졌잖아!!
게다가 레전드 리프!! 레전드라고 말했잖아, 지금!!
하지마!!
즐기고 있는 거야! 일부러 그런 거라고!!
젠장, 이 악마들!!
예-이
FUNNY
더 눈에 띄면 위험해!!
나는 공기 나는 공기
나는 공기…
얌전~~히 있어야지!
나는 절대 눈에 띄면 안 돼…!!
콰아아앙

리~드~!!
『시작의 씨앗』을 손에 넣었어~~!!
중계
부부 바위에서 합류하자~!

오오! 잘했어, 이루마!
리―드
씨앗도 손에 넣었구나!
역시 대단해! 잘했어!
그런데,
왜 말한 건데?

끄악.
펄럭
펄럭
게구우우울
히익.
그렇게 빛나던 화분이…
죽음의 향기를 뿜고 있어…!!
이 상황은 너무 위험해!
큰일 났다, 큰일 났다, 큰일 났다.
감이 좋은 자식들은
눈치챘을 거잖아?

이루마& 리드 팀은
『레전드 리프』(10만P)에 가장 가까운 학생들이다!!
그걸 빼앗으면 10만P.
일발 역전 우승!!

최고의
리드~
어디야~
나를 엄청나게 노리고 있잖아~!!
비틀…
들키면 아웃!
싸우는 건 자신 없어!!

샤크스~ 리~드~
어디냐~
표적!!!
하지만! 이 화분은 내 생명줄!!
사나이, 리드!!
절대로 빼앗기지 않겠어!!
절대로….
저벅

어머!
저얼대애
안녕♡
로오오오…!!

제128화 흔들리는 하트
부부 바위 앞
저벅
합
류~!!
여기 있었구나~. 리드~!!

리드는 어때?! 화분 구했어?!
구했어!
끝의 화분…. 그리고
흑…
빼앗겼어….
엉
엉
뭐어?!

정말~
누니이이이임, 진짜 너무해애애애애.
우에에에엥
누님?!
엘리자?
어떻게 그러냔 말이야…….
울먹
울먹
진짜 너무해…!!

리드….
그거… 화분이야?
누누누, 누님…!!
누님이 왜 여기에…?!!
후다다다다닥
이, 이번에는
좋아한다고 해도 안 줄 거야!!
다가가면 유혹당해서 끝이야!!
유혹당하고 싶긴 하지만, 이 화분만은 사수해야 해!!

미안해….
…나.
그 후에 생각했어. 리드를 좋아한다 말해서
수확물을 빼앗은 건…
나쁜 짓이었어….
내 잘못 이야…….
다른 애들과 똑같이 좋아한댔잖아. …실은
나… 리드를….
누….

그다지 좋아하지 않아.
어?
왜냐하면 리드는…

별로
강하지도
않고
작은
데다가
가볍고
경박하고
쪼끄마
한걸.
푸
욱우우
쪼,
쪼끄마
하다니….
부들…
부들…
꼬리로
몸을 띄워서
작은 키를
숨겨왔는데…!!
왜 들켰지…
게다가…
나를…
엉큼한
눈길로
쳐다보잖아?
!!

쳐다 본적 없어요!!
거짓말!
가슴과 엉덩이만 쳐다보잖아!
으, 으윽.
그런 엉큼한 남성은 좋아하지 않아.
아니…
정말 싫어.

털썩
여자애 한테
싫어 한다는
말을 듣고
서 있을 수 있는 남자는 없어…!!
…그리고
정신이 드니까
흑 흑 흑
화분을 빼앗겼어….
너무해애애애애애애애애애.
우엥~
우아~앙
너무하다고오오오오오오.

평소의 누님과 너무 달랐어…!
흘쩍
흘쩍
그랬구나….
…… 그거,
혹시 『환각』 아닐까?
둥…
환각?!
휘익!!
나도 지하에서 싫은 것들을
봤거든…!!
식물이나 마물의 짓이라고 생각했는데….
스
화분을 가져갔다면… 그건….
으윽

학생의 마술…!!
이야~~
식은 죽 먹기네요, 오로바스 님!!
효 효 효
어떤 환각을 보는지 모르겠지만….
이걸로 그들은 OP.
하지만
설마 그 지하에서 돌아올 줄이야….
기다려요~♪

이루마…!!
아무튼! 엘리자 양을 만나서 확인해 보자!!
끄덕
끄덕
그, 그래!!
누님이 나를!!
싫어할 리가 없어!!
분명 환각!! …일 거야!!

좋아!
철컥
그렇게 결정했으니!!
나한테 맡겨!!
억…
데비워처―!!

……
수 북…
이게 뭐죠…?
수행이야!! 너는 궁지에 몰리면 집중력이 상승하는 것 같거든!
멀티태스킹 스타일로 갈까 해서!
쏘옥!
멀티태스킹…?
오른손엔 책,
왼손엔 게임.
머리에 음악.
이걸 한꺼번에
로딩완료

읽고, 즐기고, 들으면서
오감을 빼앗아 봐.
아아아아아
갸갸아
찰칵찰칵
찰칵찰칵
찰칵찰칵
펄럭럭럭럭럭럭럭
샤크스 리드
가계 능력 : 감각 강도
타인의 오감을
일시적으로 빼앗는 마술.
효과 범위는 마력과
집중력에 비례한다.
너무
힘든데—!!!
기합
나도 옆에서
응원할게!!
처음에는
안 익숙하겠지만
괜찮아!!
팍팍 빼앗아!
기합
지옥!!

조금이라도 집중력이 떨어지면 정보를 놓쳐!!
긴장감이 상당한데!!
하지만 덕분에
이 상태가 되면 자연스레 집중력 MAX!!
무지무지
흥분되는걸!!
모아!! 모아!!
누님의 정보를!!

동쪽……
마수 엘리자……
성에……
약왕은……
찾았다!!
좋아!! 어디지?! 대화로 장소를──….
부드러워.
첨 벙…
언니, 피부 매끈매끈 해~.
클라라도 반들반들 하네~.
…이건 설마,
설마.

응...
하아~~.
극락
이야~.

첨벙

후후후후
지, 지지,
하아~
진짜가…?!
리, 리드—?!
괜찮아?!
좀 조용히 해.

제129화 차지하죠

휴우…
피로가 싹 가셔~~.
극라아아악 ~~~~.
하아~
흙범벅이 되는 수확제….
여자로서
이 온천은 매력적이죠?

마음에
들었나요?

엄청~

자연 속에서 따뜻한 물에 몸을 담글 수 있을 줄이야….
우리 마수가 발견한 곳이에요. 비경 중의 비경이죠.
모락
모락
서늘~~~
개방감이 있어서 역시 좀 가슴이 뛰어…♡
저희밖에 없으니 괜찮아요.
여기서라면 남들이 들을 걱정 없이 이야기도 나눌 수 있죠.
벅
여왕님-!!
대기

후후후
꺄아~
제가 듣고 있었는데요!!
죄송합니다!!
누님이 있는 곳을 찾으려고 한 건데, 설마 이런 러키… 무방비한 상황이라니….
가계 능력 컨트롤러 『감각 강도』 상대의 오감을 빼앗는 마술. 빼앗은 부분은 검게 변한다.
누님들이 케로리 여왕과 합류했을 줄이야….
슥…
그건 그렇고…

역시…
저기…
크네요….
이곳 저곳이…
어머.
고마워♡
하지만
클라라도 의외로 상당한데~?
꺄아
첨벙
흐, 흐음? 뭐, 저는 아직 성장 중… 이거든요…?
첨벙
첨벙
언니, 푹신해~.

하지만
케로링은 피부가 참 매끈하네!
처억
꺄아
까앗.
갑자기 다가오지 말아요!
꺄아
나도 만지고 싶어~!!
꺄아
어머
후후후후
꺄아-
리,
리드?!
나… 이 능력을 가지고 태어나서 다행이야….
꺄아 꺄아
우, 우는 거야?!!
괘, 괜찮아?!
조용히 해
흑
흑
?!
?!
자아. 그럼, 본론에 들어가자!

편지
일부러 마수를 마중 보낸 걸 보면…
케로는 우리와 협력하고 싶다는 걸로 알면 될까?
…….
네.
첨벙
온천을 가르쳐준 대신, 제 작전에 참가해줬으면 해요….

작전?!
역시 누군가를 노리는 걸까?!
이제부터 설명할게요.
이건 놓쳐선 안 돼!!
아앗. 하지만!
문제가 하나 있어!!
내가 들을 수 있는 건
목소리 뿐.
십중팔구 이건 누님들의 대화야!!
하지만
모습이 안 보이니 본인들이 맞는지 확인을 못 해! 보장할 수 없어… 그러니

이렇게 되면 시각도 빼앗을
수밖에 없나…
엉큼한 마음은 없어!!
정확한 정보를 얻기 위해 필요한 프로세스!!
그런 고로…
LOADING…
변명은 확보됐어!! 가자, 리드!!
이번에야말로 어른의 계단을…!!
키이
이잉

하지만
만에 하나 누가 훔쳐보진 않을지 걱정되네요.
한번 더 확인…!
꺄아ㅡ!!
어머!
훔쳐 보다니!!
설마 그런 엉큼한 사람이 있을까?!
푸-욱
그런 엉큼한 남성은 좋아하지 않아
엉큼…
엉큼…
엉큼…

꽈악
엉큼하지 않아!!
리드?!
엉큼?
아차!!
능력이 끊겼어!!
히익
하지만 누님이 어디 있는지는 파악했어…!
이렇게 되면…….
큭…

인마!!
정정당당 하게 해보자고!!
좋아! 마수 왕국으로 가자!!
아, 아니지! 누님이 화분을 가지고 있는지 확인하러 가자!!
어, 앗, 응!
고-
어, 어엇?! 잠깐만! 얘는 누구야?!
으~음, 나프라 씨는, 그러니까….
냄새나! 윽, 코가 삐뚤어지겠네!! 대체 뭐야?!
고-
교-
얏
움찔
어? 물에 빠졌어?
나쁜 기척이 사라 졌으니…
남은 이야기는 왕국에서 할까요.
모락
모락
뭐~?

추—욱….
어서 오십시오….
옷을… 입고 계시네요.
하아…
안 입으면 변태잖아!!
전황은 어때?
이쪽이 우세합니다만 저쪽도 꽤 끈질기군요….
전황…? 이라니?
…….
보는 편이 이해가 빠르겠죠.

성큼
성큼
높은 포인트를 얻기 위해
당신들이 적을 매료시켜줬으면 해요.
물론 공적은 반씩 나눌 거예요.
적?
앗, 『레전드 리프』를 노리는 거야?
아니면 보스 클래스의 토벨?
…아뇨.
더 가까운 곳에 있고, 포인트를 잔뜩 빼앗을 수 있는
최고의 수확물…….
쏴아아아아

저 성을 차지하죠.

와아아아아아아

엄청난 숫자의 마수 무리다아아아!
남자들은 무기를 들어!
아가레스 공에게 전황을 보고해!!
오오오오오오
성을 빼앗아라!!
케로리 여왕님께 바치는 거다!!
확실하지도 않은 것들로
꾹…
제 마음은 흔들리지 않아요.

『레전드 리프』?
그딴 것보다 저 성에 잔뜩 쌓여 있는 포인트를 빼앗는 게 더 가슴 뛰어….
케로앙…?
학 학
성과 포인트를 넘겨라 안 그러면 멸망시키겠다
사전에 경고는 했어.
펄럭…
내 앞에서 무릎 꿇지 않는다면 짓밟아주겠어요.
이 숲에 왕은 한 명이면 족해.

두 둥…
저 성을 통째로 삼켜서
바로 내가! 약왕이 될 거야!!
적당히 좀 하라고, 인마──!!!
끄아아아
우와아아
히이익

수확제 나흘째
성주님!!
후다다다닥
성주님, 여기 계세요?!
제130화 어브노멀 클래스 대전
시끄럽군요! 성주님 앞입니다.
네!!
척
실례 합니다!!
보고 올립니다! 마수들과의 공방은 일진일퇴를 거듭하고 있습니다! 본진은 부상자 다섯 명! 탈락자 두 명!
술렁…!!
드디어 탈락자가….

마수 놈들… 끝도 없이 밀려와….
마수 왕국의 요구는
쌓아둔 포인트와 성의 양도….
넘겨주면 해치지 않겠다고 하지만….
성과 포인트
안 그러
…….
!
요구를 받아 들일 순 없어!!
모처럼 다들 모여서
함께 만든 공간… 집인걸!!

너희도 마찬가지잖아?! 탈락할 것 같아서 불안할 때에 우리를 받아준…
따뜻한 추억이 가득 담겨 있는 소중한 집인데!!
절대 넘겨줄 수 없어!!
오오!!
그래! 다 같이 마수를 쫓아내자고!!
마지막 한 명이 남을 때까지 싸우는 거야!!
…다들!!

우리 집을 지키자!!
오오
내가 만든 내 잠자리다!!
너희 게 아냐~!!
뭐
멋대로 떠들어 대기는…!!
남의 집에서…!!
다들 의욕이 넘치는 군요.
빨리 성에 있는 포인트를 챙겨서 해산하면 되는데….

싫어.
여기가 좋거든.
하아~
다들
이 성이 마음에 든 것이겠지요.
게다가! 아가레스 공은 본인이 이 성과 함께 미끼가 되어서 다른 이들을 무사히 대피시킬 작정이지요?
다들 눈치챘소이다!

수확제가
끝날 때까지
다들
함께하는
겁니다.
…….
정말
괴짜들
이라니깐….
오오오
마수 왕국
VS
아가레스
싱민
오
오
오
성
정문

흠… 성가시군요!
오오오오
우리 공세를 이렇게 버텨낼 줄이야……!
하지만 멀었습니다.
왈
이어지는 우리의 맹공을
과연 막아낼 수 있을까요?

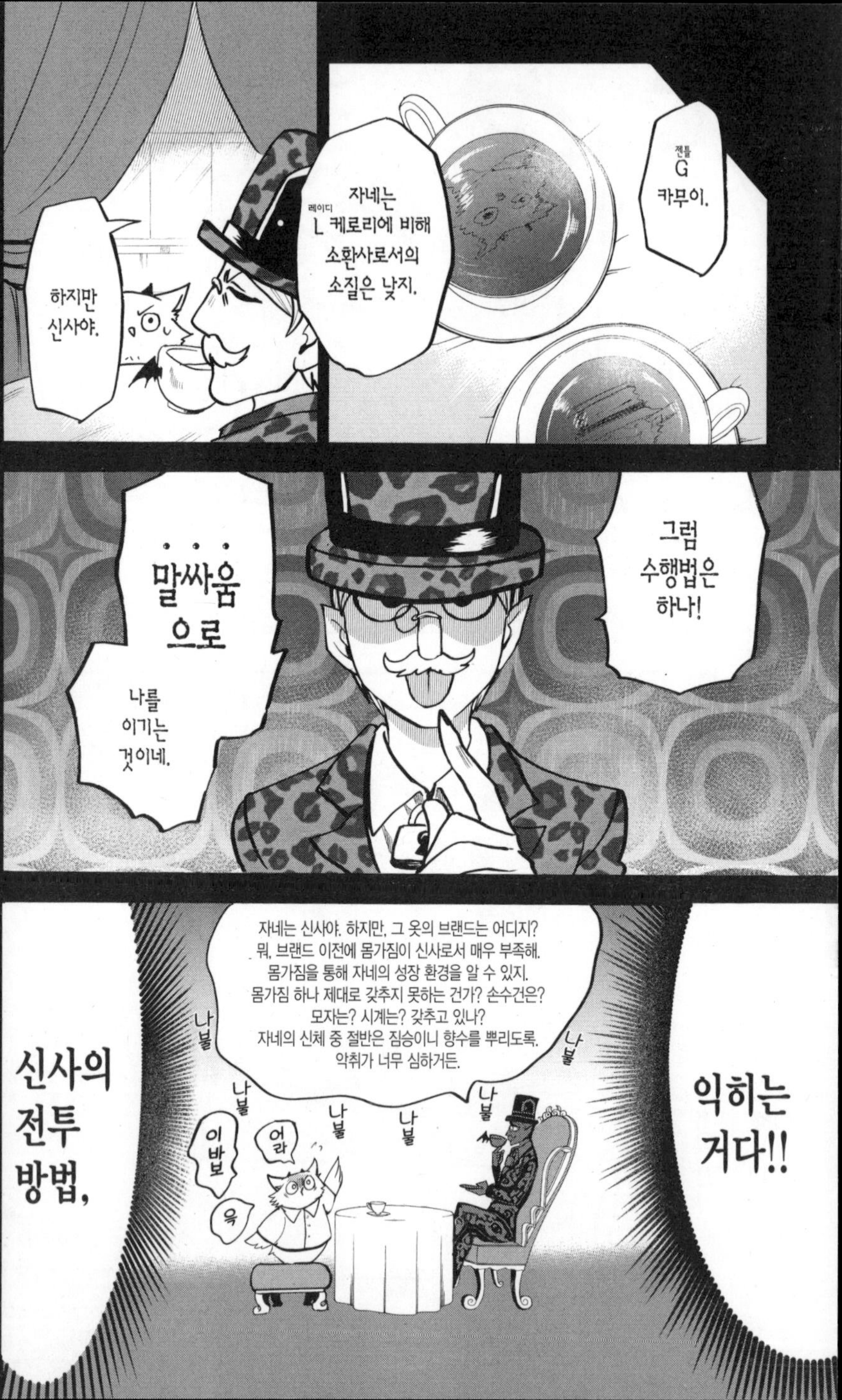

젠틀 G 카무이.
자네는 레이디 L 케로리에 비해 소환사로서의 소질은 낮지.
하지만 신사야.
그럼 수행법은 하나!
말싸움으로
나를 이기는 것이네.
자네는 신사야. 하지만, 그 옷의 브랜드는 어디지?
뭐, 브랜드 이전에 몸가짐이 신사로서 매우 부족해.
몸가짐을 통해 자네의 성장 환경을 알 수 있지.
몸가짐 하나 제대로 갖추지 못하는 건가? 손수건은?
모자는? 시계는? 갖추고 있나?
자네의 신체 중 절반은 짐승이니 향수를 뿌리도록.
악취가 너무 심하거든.
익히는 거다!!
나불
나불
나불
나불
나불
나불
어라
이바보
윽
신사의 전투 방법,

언변력을.
듣거라, 동포들이여!!
저 성의 놈들은 마수를 사냥해 포인트를 모은다!
허나 여왕님은 다르다!!
말의 힘이 강한 자를…
마수를 아끼시며, 함께 싸우는 용사로 다루셨다!! 그 마음!! 깊은 사랑에 보답하자!!

타인은
따르게
된다!!
아름다운
우리의 여왕께
성을 바치는
것이다!!!
오오오오오오
크윽.
기세가 더
강해졌어…!!
큰일이다!!
돌파
당할….
쉬익
휘이이잉…
!
바람
…?

나무를 흔드는 바람이여…
그 힘을 빌리노라.
능력으로 조종한다고 해서, 상대를 물건 취급하면 안 돼….
말은 못하더라도, 이야기를 걸다 보면 행동으로 답해줄 거야.
새로운 오의!! 간다!
사이좋게 지내!!
네!!
일방적으로 말 거는 건 특기올시다!!
…

구귀
(口鬼)

잔(殘).
??!
어….

오오오?!
짐승 들만…
해치워 버렸어?!!
스읍
도와줘서 감사하오.
챙
으음…
꽤 하는 군요,
가
픗.
꺄아ㅡ!!

도와줘서 고마워——!!
우——엥!!
방금 대단했어~. 어떻게 한 거야?!
가깝소이다!!
꺄아
꺄아
휙
꽁냥거리고 있어!
카무이 씨!!
저 자식, 여자애와 노닥거린다고요!!
어이! 당황하지 마라! 우리에겐 여왕님이 계시잖아!!
컹
그래!
그렇죠?! 카무이 씨!!
훗
네.
그렇지요…….

하지만
그건
그거고!!
내 눈앞에서
여자애랑
꽁냥거리다니,
용서 못 해!!
만 번 죽어
마땅해!!!
크ー앙
와라.
비장의…
지원군ーー!!!
움찔…
두두두두두두
어….
으……
아…….

보스 클래스 마수!!
두웅…
히이익 ~~?!!
자아, 총력전 이다!!!

우리의 케로리 여왕님께 성을 바치자!!
오오오오

오오오오
이 앞으로는 한 발짝도 못 움직인다!!

유린
하라…!
오오오
오 오오 오오 오 오
이….
이게, 뭐지…?

제131화 색기의 포로
가라―
앗!!
콰앙!!

오오오…
보스 클래스가 돌진해도 무너지지 않는다니…!
정말 견고한 성이야!!
오오오…
으—음 …
성문을 열 방법은 정면 돌파뿐… 인가.
마술로 만든 성은 실로 성가신걸….

이 마술의 숙련도…! 그야말로 장인의 솜씨야!!
파지직
아가레스가 가계 능력
마이 에어리어
침상 :
지면으로 인식한 온갖 물질의 조작이 가능.
성벽을 공격하던 녀석들이 물러난 것 같네….
후우ー…
역시 성주님이 만든 성!!

연계를 취해 교대로 입구를 지키자!!
부상자도 즉시 대체!! 힘들지만 어떻게든 되고 있어!
우리의 유대는 그렇게 쉽게 무너지지──….
털썩
쿡
죄송합니다! 동쪽 병사 여섯 명…….
당했습니다 ….
어어?!
뭐?!
갑자기 여섯 명이나?! 새로운 마수야?!
젠장
대체 어떤 적이었어?!
그게… 엄청… 엄청…….

에로
…해.
털썩…
에로해??!
다들 차례차례
그녀에게
매료되어서….
욱
욱
?
매료….
설마.
찌익…

풀 러브 게이지
호감도 60% 해방!!

익스가 가계 능력
풀 러브 게이지
호감도 :
자신에게 호감을 갖게 하는 향기를 주위에 풍긴다.
지퍼를 여는 정도로 향기 방출을 조절할 수 있다!
이 능력을 남성에게 쓰는 건 멋지지 않은 짓이지만
지금은 승부처지♡ 어쩔 수 없네….
무기…
내려놔 줄래?

그렇게
남자들은
저항도
못 하며…!!
우히어엉
저질~.
흥
이래서
남자들은….
불결해!
그런데
바보
남자들은?
그게…
그대로
끌려갔어….
네~~
참
멍청이 같은
광경이네….

구할거야?
됐어 내버려두자
뭐?! 유대는?!
구출대 보낼 여유는 없지…. 뭐, 심한 짓을 당하진 않을 테지만….
그건 그렇고 매료 팀을 동료로 삼다니….
방식이 되게 악랄하잖아, 마수 왕국!
우에—엥!
미안해♥
좁겠지만 전쟁이니 어쩔 수 없네.

자아,
어떻게 한다….
클라라는….
모험…
정찰
다녀올게~!
어머
혼자서
어디
가버렸고….
으──음….
…다시
전장으로
돌아가도
되겠지만….
지그시~~

마술을 걸어버리면… 대체 어떻게 될까…?
진심으로…
마술을 너무 많이 걸면 본인도 상대도 폭주해버리니 적당히 해!
라고 스승님이 말했는데 ….
…… 만약
휘익!!
누님!!
찾았다!!
휘익
다행이야! 저기, 우리들….
휴…
무슨 일이야?
이, 이루마와 리드?

누님은
나를

어떻게 생각해요??!

응?
너무너무 좋아하지.
됐다아아 아아아!!
어억
잠깐,
뭐가?!

....
화분?

글쎄.
나는 몰라.
그럼
역시 내가 본 누님은….
응
환각!!
곳
환각?
으~음
누님이… 예뻐서…
교기…
기~
꼬롱~
우왓.
나프라 씨?!!
?
왜 그래?
어머
불가사의한 향기…
곳
곳
뭔가를 말하고 싶은 걸까…?

(포니테일)
스 스슥
리젠트 머리?
상어?
자유형?
(안경)
동글 동글
쌍안경!
훔쳐 보기?
아니, 저주의 댄스 아냐?
리젠트 머리의 상어가 몰래 훔쳐보는 댄스!
철썩
아니교!!
앗!
그럼, 번역해 달라고 할까?

짜잔
부르셨습니까.
카임가 가계 능력
사이 좋음
번역 :
온갖 생물의 언어를 번역할 수 있다.
갑자기 불러서 미안해.
아뇨!! 신사 된 자! 여성의 부탁이 가장 우선!! 의자가 되라면 얼마든지 되겠습니다!!
쉬이이이익
해독중…
흠흠 오호라
그건 그렇고
독특한 향기군요…
아마 범인은… 오로바스 쿄쿄라는 학생.
그는 환각 마술을 써서 어브노멀 클래스만을 습격하고 있다고….

어브노멀 클래스 만을…?!
뭐어?!
그게 사실이라면 범상치 않은 사태군요!
빨리 여왕께 보고드려야 합니다!!
그래
표적이 될지도 몰라!
앗!!
맞아! 큰일 났네!
클라라 가….
!
지금… 혼자 숲에….

두둥♪ 콰광♬
두두 두둥~♪
왕창 포인트 모으자!
붕붕!!
마수든 뭐든 꿀꺽~ 에이~.
체키라웃 ——♪

샤
아아…
싹
아아…

제132화 술렁이는 마음
2번 신앙
『2』라는 숫자를 사랑하고 칭송하는 마계의 종교.
그 실체는 어둠에 휩싸여 있으며, 존재를 증명하는 기록도 없지만 소문만은 전해 내려오고 있다.
저 녀석이지? 2번을 신앙하는 가계의….
그게 뭐야. 기분 나빠….
소곤
소곤
입시 차석!
온갖 시험에서 2위를 독차지!
2위 오로바스 코코
그렇다! 오로바스 코코.
그가 바로 2번을 사랑하는 2번 신앙의 악마…

갑은 건 전혀 아니다.
히익~ 무서워~
또 2위라니!
꾸갓
1위 하고 싶었는데!!
제132화 술렁이는 마음

일부러 2위를 한대.
술렁 술렁
『2』를 사랑하는 거구나….
히익~
그럴 리가 없잖아!!
아냐!! 눈곱만큼도 사랑하지 않는다고!!
저게 2번 신앙…. 무조건 2위가 되는 가게….
그딴 거 모른다고!!
뭐 그딴 기분 나쁜 가게가 다 있어.
오로바스 가는 언제나 올곧아!!
꾸밈없이 착실하고 심신이 건강한 가게다!
2위인 건 우연이야!! 어찌 된 건지 항상 2위를 할 뿐이다!!

어브노멀 클래스의 알로켈이 또 1등이야!
와아
우뚝
어브노멀 클래스!!
호외
시험상위자
실기 1위와 필기 1위가 속한, 항상 화제의 중심인 반!!
가장 눈에 띄는 특기생 이루마를 필두로, 평가 급상승 중!!
부러워
죽겠어!!

얏!!
오로바스…!! 역시 2등이었어!!
잘됐네!
2등!!
아냐….
힉~!!
슥…
와르르르르
나는 아직 실력이 부족해!!
나 자신을 더 갈고 닦아서——…
수확제에서 우승하자!!
내가, 올해의 약왕이 되는 거야!!

내 가계 능력은 『환등(幻燈)』.
트라우마
나의 능력을 쓰면 나무의 흔들림도
돌멩이 하나조차도 마음을 좀먹는 환각이 되지.
강한 쇼크를 주거나 강한 의지로 거부하지 않으면 끝없이 고통을 받게 되는 무시무시한 정신계 마술이야.
수확제에서는 이 힘에 의지하지 않고 정정당당히 1등을 하자!!
그러면 분명 다른 이들의 두려움과 오해도 풀릴 거야!!

뻑?
…왕이이이휘
그래. 정정당당 ——….
——어라….
정말로… 떳떳했나?
왜 나는 어브노멀 클래스에게 마술을——….
괜찮아요오~.
이러면 돼요. 당신이 옳아요.

옳아….
네에.
물론 이죠!
이 오쵸의 말을 믿으세요!!
이러면 되는 거지? 오쵸.
자아.
새로운 적이 또 나타 났어요….
약왕을 꿈꾸는 당신의 패도를 막는….
문제아들은 전부 없애 버리세요.

몸과
마음을
짓밟아라.
트라우마
『환등』.
비틀
부스럭
?
넘어졌어~
흔들렸어
~?

쌱
아
아…
파아아아아앗
이루마찌!!
……

HYA—!!
이루마찌!! 이루마찌다!!
아——!!
아까 나무 쾅~. 봤는데, 진짜 대단했어!!
와아
와아
그리고 말이지?!
나! 이루마찌를
믿고 기다렸어!!
실은 엄청 만나고 싶었지만
승부 중이라 참았어!
그러니까
클라라….

주스 줘.
……
뭐?

내가 놀아주잖아. 주스 꺼내줄 수 있지?
나, 목말라.
어. 뭐?
하
하지만 이루마찌는
그런 거…
필요 없다고
말했잖아…?
말했지?
…….
말하긴 했는데

역시
클라라와 놀아주는 건 참 피곤 하거든~.
불공평하단 생각이 들었어~.
아즈도 분명 나와 마찬가지로 귀찮다고 생각할 거야.
이루마찌. 무슨 ….
그래도 클라라의 능력은
편리 하니까

서로
이용하자.
또
혼자가 되긴
싫잖아?
안
그래?
이득이
없다면
아무도
클라라와…

날
…….

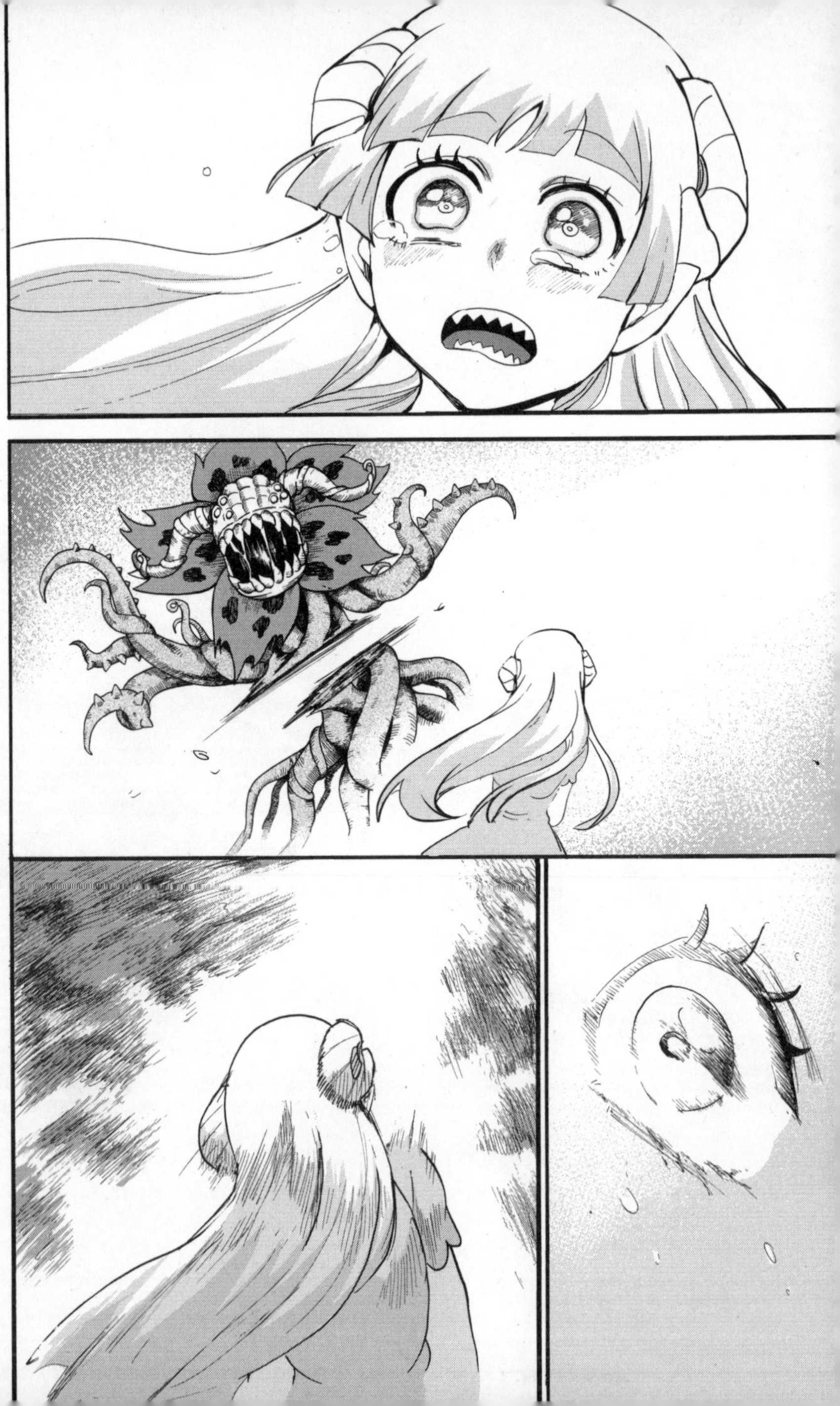

늦지… 않았어!!

클라라!!

제133화 활잡이의 진가
찾았어요!
어브노멀 클래스의 발락 클라라예요.
어브노멀 클래스는… 모두 적….
그래요♥
자아, 오로바스 님. 이번에야말로 그 능력으로…

어브노멀 클래스를
박살 내는 거예요.
찾았어!!
오오!!
하지만 위험해!!
오로바스가 이미 클라링 곁에…!!
!!
클라라가… 만약 환각 마술을 당하면….

빨리 가야 해!!
응…! 하지만 멀어….
숲속에선 날기도 어렵고….
그럼 달려서 ….
그러다간 늦어.
저벅
오오오오오
여왕님!!
내 호위를 빌려줄게….

빨리 가봐!
고마워!
후
웅
괜찮습니까?
응….
이걸로 그들은 나한테 빚을 졌는걸.
후후후후
무섭지만 아름다워…
정말…

정말…
착해빠졌
다니깐….
이 근처일
텐데….
쏴아…
젠장,
남은
마력이
아슬
아슬해….
너무
많이
썼어….
!
괜찮
….
무지
괴롭고…
힘들
때야말로…
스읍…
정신
집중!!
…!
이쪽이야!!
!
응!!
휘익

휘
잉...
찾았다!
저기야!!
키이이잉...
마수에게
공격받겠는데?!
위험해!!

빨리 구해야 해…!!
하지만
멀어!!
이미
늦었어…!!
우뚝
늦은…
거야…?

거리가 너무 멀어.
닿지 않을지도 몰라.
빗나갈 거야.
남은 깃털은 없어.
기회는 한 번뿐.
만약 클라라가 맞는다면….
어쩌지.
어쩌지.

괜한 생각 하지 마.
활잡이 라면….

……
승부처
에서

명중
시키라고.
바칫

콩!!

키샤아아약

스승님….
당신 에게
배운 게…
궁술이라 다행이에요 …!!

이루마찌.
훌쩍
훌쩍
이루마찌
이이이이.
이루마찌가
주스 달라고,
놀아주는거
귀찮다고오오오.
저벅
뭐어?!
내가
주스를?!
우에에에엥
또 너냐,
이루마…!!
매번….
오 오오오 오오오
매번…!!

나를 방해 하다니…!!
두우웅
용서 못 한다!!!
오오
안경에 포니테일 머리의 악마…!
오로바스 코코!!
약왕이 되는 건 바로 나다…!
어브노멀 클래스는 장애물….
전부 없애주마!!
오오
오오

한두 번 『트라우마』를 깬 게 뭐 어쨌다는 거냐…!
처억
좋다!! 수확제 기간만이 아니라…
영원히… 둘 다 재기 불능이 될 때 까지!
클라라!
트라우마의 늪에 가라앉게 해주마!!
오오

차석인지
뭔지는
모르겠다만…

『악마에 입문했습니다! 이루마 군』 제⑮권/끝

읽어주셔서 정말 감사합니다.

THANK YOU FOR READING

〒102-8107 東京都千代田区飯田橋2-10-8
秋田書店 週刊少年チャンピオン編集部気付 西修先生宛

후기

진격!의 15권!!

전원 대집합 편!

생각해보면 「서바이벌 게임 같은 축제를 벌여서
어브노멀 클래스를 화끈하게 싸우게 하자」 라는
이미지로 시작한 수확제 편. 각자가 멋대로 즐기느라
좀처럼 대립하지 않는다며 웃어버렸습니다만,
이제 와서 자연스레 모이기 시작하면서
서로의 마음과 마음이 격돌하기 시작해 안심했습니다.
팀 행동이었던 만큼, 문제아끼리 만나면
본가로 돌아간 느낌이 드네요.
라스트 세 명은 수확제 중에 꼭 한자리에 모이게
하려고 마음먹었습니다. 역시 이 세 사람은 같이
있어야 한다니까요. 배우들이 모이기 시작하면서,
기나긴 축제로 끝을 향해 달려가고 있습니다.
다음 권에서 드디어 수확제가 끝납니다!
우승자는 과연 누구일까요!

믿음직한 동료들

스태프 THANKS

· 오사이 씨

· 히로카와 료 씨

· 야하바 아야 씨

· 하타케야마 카즈타카 씨

· 코토부키 나오키 씨

· 카와사키 츄 씨

· 마이카와 세미 씨

· 아루가 요시노리 씨

감사, 또 감사

핸드폰 충전 좀 하라고 말했잖아

· 노력가 겸 담당자 니시야마 씨

각 화의 보너스

125화의 보너스

아스모데우스의 보너스

악마에 입문했습니다! 이루마군 VOL. 15

2024년 1월 25일 제1판 제1쇄 인쇄
2024년 1월 30일 제1판 제1쇄 발행

작가 | OSAMU NISHI
번역 | 이승원

발행인 | 오태엽
편집팀장 | 이수춘
편집담당 | 이혜리
표지 디자인 | Design Plus
라이츠사업팀 | 이은선, 조은지, 정선주, 신주은
출판영업팀 | 김정훈, 이강희
제작담당 | 박석주

발행처 | (주)서울미디어코믹스
등록일 | 2018년 3월 12일
등록번호 | 제 2018-000021
주소 | 서울특별시 용산구 한강대로 43길 5

인쇄처 | 코리아 피앤피

MAIRIMASHITA! IRUMA-KUN vol.15